Presented to delegates of the
13th Scientific Meeting of the
International Society of Hypertension
Montreal, June 1990, with the
compliments of ICI Pharmaceuticals.

MONTREAL
UN PORTRAIT / **A PORTRAIT**

MONTREAL

UN PORTRAIT / A PORTRAIT

PHOTOGRAPHIES PAR
PHOTOGRAPHS BY JOHN DE VISSER

KEY PORTER BOOKS

Données de catalogage avant publication (Canada)

De Visser, John, 1930-
Montréal, un portrait = Montreal, a portrait

Texte en français et en anglais.
ISBN 1-55013-081-1

1. Montréal (Québec) - Descriptions - Vues.
I. Titre. II. Titre: Montreal, a portrait.

FC2947.37.D48 1988
971.4'28104'0222 C88-093021-7F
F1054.5.M843D48 1988

Canadian Cataloguing in Publication Data

De Visser, John, 1930-
Montréal, un portrait = Montreal, a portrait

Text in English and French.
ISBN 1-55013-081-1

1. Montréal (Quebec) - Description - Views.
I. Title. II. Title: Montreal, a portrait.

FC2947.37.D48 1988
971.4'28104'0222 C88-093021-7E
F1054.5.M843D48 1988

Légendes/captions: Diane Vachon
Conception/Design: First Image
Composition/Typesetting: First Image
Imprimé et relié en Belgique/
Printed and bound in Belgium

88 89 90 91 92 6 5 4 3 2 1

PAGE 2:
Le long trajet de la Côte-des-Neiges et le dôme vert de l'Oratoire Saint-Joseph.

PAGE 2:
The long chemin de la Côte-des-Neiges and the green dome of Oratoire Saint-Joseph.

Table des matières/Contents

Préface/Preface

L'histoire débute avec un village indien nommé Hochelaga, composé de quelque cinquante habitations abritant peut-être 1 500 personnes. A la suite de sa visite de 1535, l'explorateur Jacques Cartier le décrit avec étonnement. Il est parmi les quelque Européens à l'avoir visité. A l'époque de Samuel de Champlain, plus d'un demi-siècle plus tard, Hochelaga a disparu, ses habitants ont été tués ou dispersés, et presque toute trace de leur civilisation est perdue.

Vient ensuite Port-Royal, l'endroit que Samuel de Champlain se propose de coloniser, situé sur une île verte et montagneuse au confluent de la rivière des Outaouais et du fleuve Saint-Laurent. Cet endroit n'était alors guère plus qu'un lieu de rencontre où les hommes blancs échangeaient des marchandises contre des fourrures. Après la fondation de Ville-Marie de Montréal en 1642, les efforts de colonisation s'intensifient.

Le fondateur de cette colonie est Paul de Chomedey de Maisonneuve, et sa mission comporte deux volets: développer la traite des fourrures dans le but d'enrichir ses commanditaires et son roi, puis sauver l'âme des indigènes au nom de l'église. Ces deux missions sont remplies, non sans échecs ou incidents. Toutefois, sous l'administration énergique et autonome du Sieur de Maisonneuve, la colonie s'accroît de façon soutenue.

Depuis sa fondation, Montréal a acquis d'autres identités et accepté de jouer d'autres rôles. Elle est un centre financier, une puissance industrielle et un port d'envergure continentale. Elle représente aussi un creuset de cultures rivales et un refuge pour artistes et émigrants. Elle n'a jamais été une forteresse militaire. L'île est facilement attaquable mais cela comporte aussi ses avantages. Montréal ne résiste pas mais elle absorbe les influences extérieures. Elle n'est pas tant un lieu d'assimilation qu'une ville du monde.

Les pages qui suivent illustrent clairement l'héritage de cette ville et les nombreux événements qui ont marqué son passé, depuis l'époque des voyageurs et des missionnaires jésuites jusqu'à l'âge moderne des nouveaux industriels et financiers québecois. John de Visser nous présente une image splendide de Montréal dans toute sa complexité, sa vivacité et son assurance durement gagnée. Montréal est une ville à son apogée, en paix avec elle-même.

First there was an Indian settlement, Hochelaga, consisting of some fifty longhouses and perhaps 1,500 people. The explorer, Jacques Cartier, described it with awe after his visit there in 1535. He was one of a handful of Europeans to see it. By the time of Samuel de Champlain, more than half a century later, Hochelaga had vanished, its inhabitants having been killed or scattered, almost all traces of their civilization lost.

Next there was Port Royal, Champlain's planned settlement on the green, mountain-topped island at the confluence of the Ottawa and St. Lawrence rivers. It was little more than a meeting place, where the white man's goods were exchanged for furs. Then there was Ville Marie de Montréal, and with its founding in 1642, colonization began in earnest.

The founder of the colony was Paul de Chomedey de Maisonneuve. His mission had two parts: to expand the fur trade for the enrichment of his patrons and king; and to save the souls of natives for the Church. Neither mission was attained without setback or incident, but under Maisonneuve's fierce and independent administration, the settlement grew, and grew.

Since its inception, Montréal has acquired other identities, taken on other roles. It has become a financial centre, an industrial power and a port of continental importance. It has also been a crucible of competing cultures and a haven for artists and refugees. It has never been a military stronghold. The island is easily assailed but this, too, has worked to the city's advantage. Montréal does not resist, but absorbs, outside influences. It is not a melting pot, but a city of the world.

The heritage of the city, the many layers of its past, from the time of the voyageurs and the Jesuit missions, to the present age of the new Québec industrialists and financiers, are clearly visible in these pages. John de Visser's splendid images show Montréal in all its complexity, vivacity and hard-won assurance. This is a city in its prime, and at peace with itself.

Le stade olympique.

The Olympic Stadium.

PAUL

Le vieux Montréal/The Old City

CI-DESSUS:
Les calèches du Vieux Montréal, un romantique retour aux sources d'une vieille cité.

ABOVE:
Horse-and-carriage rides are a romantic way to tour the old city.

La Maison Pierre du Calvet.

Maison Pierre du Calvet.

Les bâteaux d'excursion du Saint-Laurent.

Excursion boats on the St. Lawrence River.

Le fleuve Saint-Laurent, son important traffic maritime et le pont Jacques Cartier.

The St. Lawrence River with its important maritime traffic, and the Jacques Cartier Bridge.

Le quartier des affaires aux abords du fleuve Saint-Laurent.

The downtown core of Montréal overlooking the St. Lawrence River.

La basilique Notre-Dame, Place d'Armes.
Notre Dame Basilica on Place d'Armes.

CI-DESSUS:
L'Hôtel de Ville de Montréal fut érigé entre 1872 et 1878 et reconstruit après un incendie en 1922.

ABOVE:
City Hall was first built between 1872 and 1878 and rebuilt after a fire in 1922.

A GAUCHE:
La Maison Papineau et les rues de galets du Vieux Montréal.

LEFT:
Maison Papineau and cobblestone streets in Old Montréal.

La salle à dîner du Château Ramezay conserve l'atmosphère du XVIIIe siècle.

The dining room of Château Ramezay retains its eighteenth century atmosphere.

Le Château Ramezay, circa 1705, logea entre autres, Benjamin Franklin.

Château Ramezay, circa 1705, welcomed Benjamin Franklin among other visitors.

Schweppes

CI-DESSUS:
La chaleur des âtres de la Maison Saint-Gabriel.

ABOVE:
A warm atmosphere pervades the Maison Saint-Gabriel.

A GAUCHE:
Place d'Youville et ses écuries d'autrefois, abritant aujourd'hui de charmants restaurants dont celui de "Gibby's."

LEFT:
On Place d'Youville, the former stables have been converted into charming restaurants such as Gibby's.

Détails artistiques des portes centrales de l'édifice de la Sun Life.

The front doors of the Sun Life building.

Parmi les plus impressionnants trésors d'architecture de Montréal, l'édifice de la Banque de Montréal, sur la rue Saint-Jacques du Vieux Montréal.

Among the most impressive architectural treasures of the city is the Bank of Montréal Building on rue Saint-Jacques.

La rue Prince Arthur et ses restaurants où la clientèle est invitée à apporter leur propre bouteille de vin.

Patrons of restaurants on rue Prince Arthur are invited to bring their own wine.

Monuments historiques et restaurants aux coquettes terrasses occupent la Place Jacques Cartier.

There are a number of delightful restaurants with lively terraces on Place Jacques Cartier.

PAGES SUIVANTES:
Le profil de Montréal.

FOLLOWING PAGES:
Montréal skyline.

TERMINUS
LOUIS-JOLLIET
TERMINAL

Vue du Vieux Montréal d'où jaillissent les clochers gothiques de la basilique Notre-Dame.

An Old Montréal scene, with the gothic towers of Notre-Dame Basilica in the background.

Statue du fondateur de Montréal en 1642, le Sieur Paul de Chomedey de Maisonneuve.

The statue portrays Sieur Paul de Chomedey de Maisonneuve who founded Montréal in 1642.

Vue du choeur ainsi que de l'autel grandiose de la basilique Notre-Dame du Vieux Montréal.

The sculpted chancel and the monumental altar of Notre Dame Basilica.

La basilique Notre-Dame est une des splendeurs architecturales de Montréal.

The majestic Notre Dame Basilica is one of the architectural glories of Montréal.

Plan arrière de l'Eglise des matelots, Notre-Dame de Bonsecours, dans le Vieux Montréal.

Rear view of the Sailor's Church, Notre-Dame de Bonsecours, in Old Montréal.

A GAUCHE:
Jeux d'ombre et de lumière sur les murs de la rue Saint-Amable, près de la Place Jacques Cartier.

LEFT:
Light and shadow on the walls of rue Saint-Amable, near Place Jacques Cartier.

A DROITE:
L'Eglise Notre-Dame de Bonsecours.

RIGHT:
The church of Notre-Dame de Bonsecours.

GALERIE
michel-ange

Le majestueux dôme du Palais de Justice dans le Vieux Montréal.

The majestic dome of the Palais de Justice in Old Montréal.

Restaurant "Les filles du Roy," rue Bonsecours.

The restaurant, Les filles du Roy, is one of several located on rue Bonsecours.

Marie-Reine du Monde, Cathédrale Saint-Jacques dont l'architecture fut basée sur celle de la basilique Saint-Pierre de Rome.

Mary, Queen of the World, St. James's Cathedral, was designed to resemble the Basilica of St. Peter in Rome.

CI-DESSUS:
Les célèbres marches de l'Oratoire Saint-Joseph, que les fidèles gravissent à genoux.

ABOVE:
The famous kneeling steps of the Oratoire Saint-Joseph.

A DROITE:
Vue de l'Oratoire Saint-Joseph depuis les portes d'entrée du chemin Reine-Marie.

RIGHT:
The view of Oratoire Saint-Joseph from its gates on chemin Reine-Marie.

PATRIA

Vitrine de la rue Notre-Dame exposant des figurines sculptées sur bois.

A window on rue Notre-Dame displays wood sculptures.

Les bâtisses de la place d'Youville sont parmi les plus vieilles de l'Amérique du nord.

The houses in Place d'Youville are among the oldest in North America.

La rue Notre-Dame offre une panoplie de styles d'architecture.

Rue Notre-Dame displays a variety of architectural styles.

Sculpture de fer forgé, à l'entrée du restaurant "La Marée," Place Jacques Cartier.

The wrought-iron sign over the entrance of La Marée, a restaurant on Place Jacques Cartier.

Détente sous le charme des lampadaires et des vieux entrepôts du Vieux Montréal.

A relaxing moment surrounded by the charming lampposts and warehouses of Old Montréal.

La ville de l'avenir/The Future City

CI-DESSUS:
Un bloc-appartements sur l'Ile des Soeurs, un secteur residentiel exclusif de Montréal.

ABOVE:
An apartment building on Nun's Island, an exclusive residential neighbourhood.

A GAUCHE:
Situé dans le Port de Montréal, le complexe résidentiel d'Habitat '67.

LEFT:
The residential complex of Habitat '67 is located in the old Port of Montréal.

Place Ville-Marie, dont le nom rappelle l'appellation originale de Montréal.

Place Ville-Marie, a major downtown shopping and business complex, bears Montréal's original name.

Vue de la rue Peel en direction du centre-ville.

Looking up rue Peel toward the downtown area.

CI-DESSUS:
L'aéroport international de Mirabel, en banlieue de Montréal.

ABOVE:
Mirabel international airport on the outskirts of Montréal.

A DROITE:
Vue aérienne de l'île de Montréal et de son centre-ville.

RIGHT:
An aerial view of Montréal island and its downtown area.

Marie-Reine du Monde, la cathédrale Saint-Jacques; l'édifice de la Sun Life; l'édifice du CN et Place Bonaventure.

Mary, Queen of the World, St. James's Cathedral; The Sun Life building; the CN building and Place Bonaventure.

Au coin des rues University et Dorchester, une structure vitrée reflète le quartier des affaires.

At the corner of University and Dorchester the glass shell of a building reflects the business sector of Montréal.

Composition de vitre et de béton sur l'Ile Sainte-Hélène.

Glass and concrete on Ile Sainte-Hélène.

Aperçu de l'intérieur du Palais des Congrès.

Inside the Convention Centre.

Transformées en blocs résidentiels, les constructions du Village Olympique logèrent les athlètes lors des Jeux Olympiques de l'été 1976.

The Olympic Village, which housed the athletes of the 1976 summer Olympics, has been transformed into apartments.

Vue de la rue Atwater, vers les hauteurs de la ville et des appartements Trafalgar et Gleneagles.

Looking up rue Atwater toward the Trafalgar and Gleneagles apartment buildings.

L'Ile Notre-Dame et ses pavillons de l'exposition internationale de 1967.

Ile Notre-Dame was the site of the 1967 world fair.

CI-DESSUS:
Vue intérieure du Complexe Desjardins — ses boutiques, ses bureaux et une intense activité.

ABOVE:
The Complexe Desjardins contains boutiques, offices and constant activity.

PAGES SUIVANTES:
Le pavillon des Etats-Unis à Terre des Hommes.

FOLLOWING PAGES:
The United States pavilion on the site of Man and his World, a remnant of Expo '67.

Le toit amovible recouvrant le stade olympique.

The Olympic Stadium's ingenious retractible roof.

Représentant une ronde d'enfants, la sculpture de bronze de l'artiste canadienne, Esther Wertheimer, devant le Bonaventure Hilton.

Canadian artist Esther Wertheimer's bronze sculpture portrays children playing at the Bonaventure Hilton Hotel.

Le reflet de la Place Ville-Marie dans les fenêtres d'un édifice avoisinant.

Place Ville-Marie reflected in the windows of a neighbouring building.

Le clocher de Christ Church et l'édifice des Coopérants.

The spire of Christ Church and the Coopérants building.

CI-DESSUS:
Une horloge numérique d'un édifice du centre-ville.

ABOVE:
A modern clock adorns the side of a new downtown building.

A GAUCHE:
L'édifice de la compagnie d'assurance la Laurentienne, au coin des rues Peel et Dorchester.

LEFT:
The Laurentienne building, corner of Peel and Dorchester.

Les boutiques de la Place Alexis Nihon voisinant le Forum de Montréal sur la rue Atwater.

Shops and boutiques in Place Alexis Nihon across from the Montréal Forum, on rue Atwater.

Murales de la station de métro Champ-de-Mars.

A mural decorates Champ-de-Mars metro station.

Le Palais des Congrès, situé à proximité du centre-ville et du Vieux Montréal.

The Convention Centre is located near downtown and Old Montréal.

Porte d'accès à la Place-des-Arts, depuis la rue Sainte-Catherine.

The entrance to Place-des-Arts at rue Sainte-Catherine.

La ville vivante/The Living City

CI-DESSUS:
Des piétons traversant la rue Sainte-Catherine.

ABOVE:
Pedestrians cross rue Sainte-Catherine.

A GAUCHE:
La tradition d'un club privé aux abords de l'Hôtel de ville de Westmount.

LEFT:
Lawn bowling at a private club near Westmount city hall.

Montréal enneigée.
Montréal in winter.

CI-DESSUS:
Les façades vives de la rue Clark.

ABOVE:
Colourful residential façades on rue Clark.

Une épicerie fine de la rue Sainte-Catherine.

A delicatessen on rue Sainte-Catherine.

Tons pastel embellissent le voisinage.

A touch of pastel beautifies a residential neighbourhood.

Le lunch chez Wilensky.
Lunch time at Wilensky's.

Une maison portugaise.

A Portuguese household.

Une modeste synagogue, nichée au sein des résidences dans le centre-ville.

A modest synagogue is unobtrusively located among the houses on a downtown street.

Exposition permanente de murales; Montréal est un musée vivant de l'art contemporain.

With a permanent exhibition of paintings on its walls, Montréal is a living museum of modern art.

La bijouterie prestigieuse Birks & fils au centre-ville de Montréal.

The prestigious jewellers, Henry Birks & Sons, in downtown Montréal.

Des vignes escaladent les murs d'une somptueuse demeure à Westmount.

Vines cling to the walls of a grand home in Westmount.

BEN
990
Special DEJEUNER Bens
"OEUFS ET Bens"
$2.95
Bens BREAKFAST Special
"Bens 'N·EGGS"
R U.S.
URD'HUI

CI-DESSUS:
Pour les amoureux de la mode, la rue Crescent et ses boutiques exclusives.

ABOVE:
Fashion lovers scour the chic boutiques on rue Crescent.

A GAUCHE
Le restaurant célèbre "Ben's" et ses viandes fumées, rue de Maisonneuve.

LEFT:
Ben's on rue de Maisonneuve is one of Montréal's oldest and most famous delicatessens.

Reflétées dans les élégantes vitrines de Holt Renfrew, la résidence exclusive "Le Château" et l'édifice de la Standard Life, au coin des rues Sherbrooke et de la Montagne.

The exclusive apartment block, Le Château, at the corner of rue de la Montagne and rue Sherbrooke, is reflected in the elegant windows of Holt Renfrew.

Situé entre le quartier des affaires et le Vieux Montréal, le Chinatown.

Chinatown is located between the business sector and Old Montréal.

Scène sous-marine sur un fond urbain de toitures délabrées.

An underwater scene painted against a background of dilapidated roofs.

A DROITE:
Pour les disciples de la vie nocturne, la populaire rue Crescent.

RIGHT:
Rue Crescent attracts all kinds to its shops, cafés and pubs.

PAGES SUIVANTES:
Les rues prennent des airs de fête avec leurs balcons enrubannés à la Saint-Jean-Baptiste.

FOLLOWING PAGES:
The streets and balconies are lavishly decorated on Saint Jean-Baptiste day.

851

857

Festivités pour la fête nationale du 24 juin, la Saint-Jean-Baptiste.

Saint Jean-Baptiste day, June 24, is a festive occasion in all Québec.

Spectacles spontanés sur la rue Prince Arthur.

Spontaneous entertainment on rue Prince Arthur.

De l'art contemporain décore un mur dans le Vieux Montréal.

A contemporary painting on an aged wall in Old Montréal.

Petites folies et gourmandises, le long de la rue Sainte-Catherine.

Shopping and ice cream on rue Sainte-Catherine.

Une tradition hôtelière du centre-ville, le Reine Elizabeth.

The Queen Elizabeth Hotel is a tradition in downtown Montréal.

Les édifices de l'Université McGill.

Buildings on the grounds of McGill University.

L'imposant complexe de l'Université de Montréal, situé sur les flancs du Mont-Royal.

The Université de Montréal is located on the slopes of Mount Royal.

Des enfants jouent au volleyball dans les immenses espaces verts bordant l'avenue du Parc.

Children play volleyball on the green fields adjoining avenue du Parc.

Grande entrée du Musée des Beaux-Arts, rue Sherbrooke.

The grand entrance of the Musée des Beaux-Arts on rue Sherbrooke.

Pour les courses et le jeu, l'hippodrome Blue Bonnets, boulevard Décarie.

Races and gambling at Blue Bonnets, on boulevard Décarie.

Façade du Ritz-Carlton, hôtel luxueux de Montréal, rue Sherbrooke.

The façade of the luxurious Ritz-Carlton Hotel on rue Sherbrooke.

Une tradition canadienne-française: la revue au Café Caf'Conc du Château Champlain, Place du Canada.

The variety show of the Café Caf'Conc, at Château Champlain, Place du Canada, is a French-Canadian tradition.

Longeant le canal Lachine sur une distance de plusieurs milles, la populaire piste cyclable de la ville de Montréal.

A popular cycling path takes riders several miles along the Lachine Canal.

Le spectacle lumineux d'une visite à La Ronde, par un soir d'été.

The amusement park, La Ronde, is a dazzling sight on a summer night.

Le Parc Lafontaine, oasis de détente dans un centre-ville actif, situé près de la rue Sherbrooke.

Parc Lafontaine is a calm oasis at the heart of the city, near rue Sherbrooke.

Le Marathon de Montréal, une activité sportive annuelle à caractère international.

The Montréal Marathon attracts élite runners from all over the world.

A proximité de La Ronde, le nouvel Aqua-Parc et ses époustouflantes glissades d'eau.

The new Aqua-Parc, with its breathtaking water slides, is located next to La Ronde.

Bains de soleil et promenades du dimanche sur la magnifique Mont-Royal.

Sunbathers and Sunday strollers enjoy beautiful Mount Royal park.

Regard extérieur sur les vastes étendues florales du Jardin Botanique.

The flower beds in the Botanical gardens seem to go on forever.

Les Jardins Botaniques de Montréal, une délicieuse expérience pour les sens.

The Botanical Gardens delight the eyes of visitors.

La grande banlieue/Outside the City

CI-DESSUS:
Sainte-Geneviève, située au nord de l'île de Montréal.

ABOVE:
Sainte-Geneviève is located at the north end of Montréal island.

A GAUCHE:
Une maison aux charmes du Québec d'antan, à Pointe-aux-Trembles, une banlieue à l'est de Montréal.

LEFT:
A cottage built in the style of old Québec, in Pointe-aux-Trembles, an eastern suburb of Montréal.

Sainte-Anne-de-Bellevue et ses canaux, situés à l'ouest de Montréal.

Sainte-Anne-de-Bellevue, west of Montréal, is known to boaters for its canals.

Premiers rayons de soleil sur Rivière-des-Prairies.

A first glimpse of the sun from Rivière-des-Prairies.

Le Musée ferroviaire canadien à Saint-Constant, aux environs de Montréal.

The Canadian Rail Museum keeps the steam age alive in Saint Constant, outside of Montréal.

Le canal Lachine et le fleuve Saint-Laurent.

The canal at Lachine and the St. Lawrence River.

Tranquilité d'une campagne rougissante sous un soleil automnal, à Beauharnois.

The countryside under the cold autumnal sun, in Beauharnois.

A GAUCHE:
La douce vie des flâneries d'été à Sainte-Anne-de-Bellevue.

LEFT:
In summer the living is easy in Sainte-Anne-de-Bellevue.

A DROITE:
Sous un feuillage d'automne, promenade dans le Parc Rainbault à Cartierville.

RIGHT:
Strollers in Rainbault Park, Cartierville, admire the autumn foliage.

A l'extérieur de l'île de Montréal, la terrasse Vaudreuil et le charme du passé.

The Terrasse Vaudreuil, beyond Montréal island, inspires dreams of the past.

Petit bâteau de pêche amarré sur les rives de Laval, au nord de Montréal.

A fisherman's boat docked in Laval, north of Montréal.

Des enfants et des canards près de Vaudreuil.

Children and ducks near Vaudreuil.

PAGE SUIVANTE:
Le fleuve Saint-Laurent, près de Vaudreuil.

FOLLOWING PAGE:
The St. Lawrence River near Vaudreuil.